ACTIVITY BOOK FOR KIDS 6-8

MAZES, WORD SEARCH, CONNECT THE DOTS, COLORING, PICTURE PUZZLES, AND MORE!

THIS BOOK BELONGS TO:

_____

_____

Find the Words

```
L K Z C D G D Q H D V M
I O X B O V R Q T P Q J
V C O W O E Z P P H K B
U D O G E Y P Y V C W D
O I M D E O O V U T R E
K X F T H S B D Q F J Q
Y G A S R T H B T U O Q
H C E L T C V E L N Z X
F P W P Z W K E E L M B
E I O R D X D Q A P R E
T G L J L N S A B P H W
U C F H O R S E N N O H
```

CAT   FOX
COW   HORSE
DEER   PIG
DOG   SHEEP
DUCK WOLF

```
L K Z C D G D Q H D V M
I O X B O V R Q T P Q J
V C O W O E Z P P H K B
U D O G E Y P Y V C W D
O I M D E O O V U T R E
K X F T H S B D Q F J Q
Y G A S R T H B T U O Q
H C E L T C V E L N Z X
F P W P Z W K E E L M B
E I O R D X D Q A P R E
T G L J L N S A B P H W
U C F H O R S E N N O H
```

CAT   FOX
COW   HORSE
DEER   PIG
DOG   SHEEP
DUCK   WOLF

Solve the Picture Puzzles

Answers: balloon; calculator

Your Turn to Draw

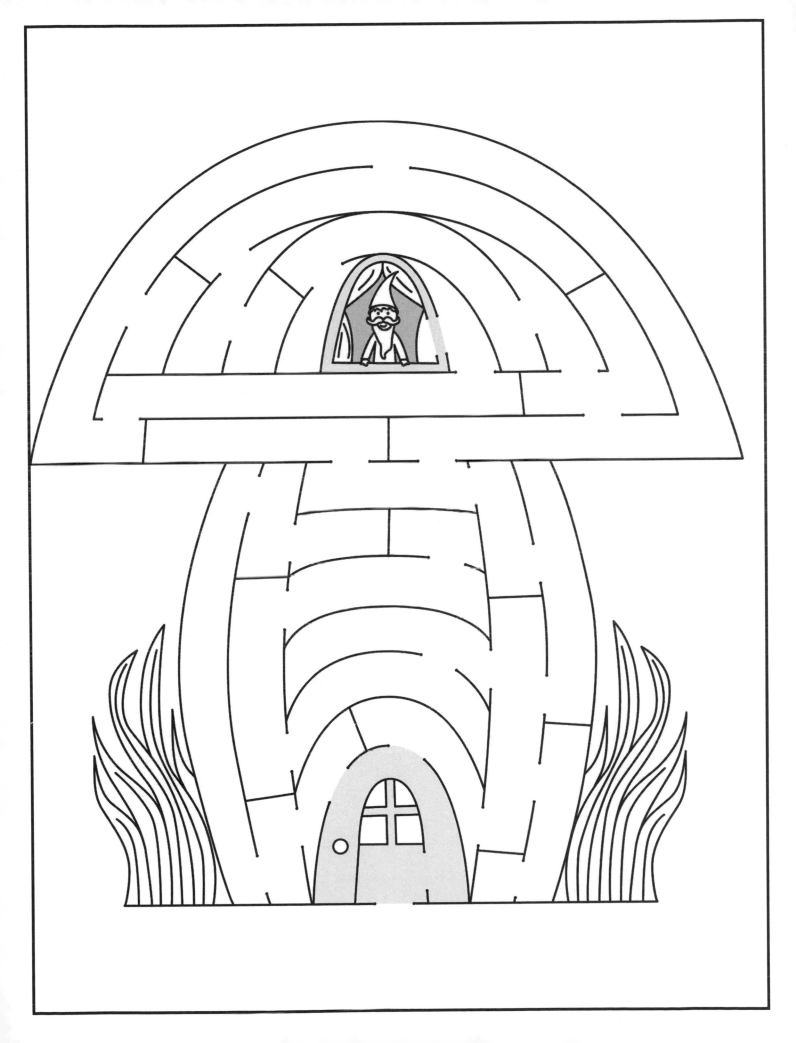

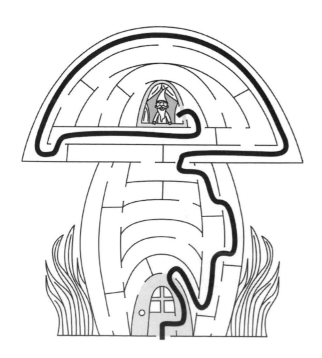

Color Chart

1 = orange
2 = red
3 = light green
4 = purple
5 = light blue
6 - aqua
7 = yellow
8 = blue

Find the Words

```
Y W V R C X S N J U E I
V U I E X R R M T M S S
K I J T N U A I X L D A
S J B K T U B T N B Z T
P G W A H R S H E R S E
A Z S K O T O I U R J L
C S T E L E S C O P E L
E S Y B R T L N S J B I
S B Y R V I H O O B G T
H G M T S Q J K M V F E
I A S T R O N A U T A N
P H C L S E L U N A R L
```

ASTRONAUT   SATELLITE
CRATER   SATURN
LUNAR   SPACESHIP
NOVA   TELESCOPE
ORBIT   VENUS

Y	W	V	R	C	X	S	N	J	U	E	I
V	U	I	E	X	R	R	M	T	M	S	S
K	I	J	T	N	U	A	I	X	L	D	A
S	J	B	K	T	U	B	T	N	B	Z	T
P	G	W	A	H	R	S	H	E	R	S	E
A	Z	S	K	O	T	O	I	U	R	J	L
C	S	T	E	L	E	S	C	O	P	E	L
E	S	Y	B	R	T	L	N	S	J	B	I
S	B	Y	R	V	I	H	O	O	B	G	T
H	G	M	T	S	Q	J	K	M	V	F	E
I	A	S	T	R	O	N	A	U	T	A	N
P	H	C	L	S	E	L	U	N	A	R	L

ASTRONAUT	SATELLITE
CRATER	SATURN
LUNAR	SPACESHIP
NOVA	TELESCOPE
ORBIT	VENUS

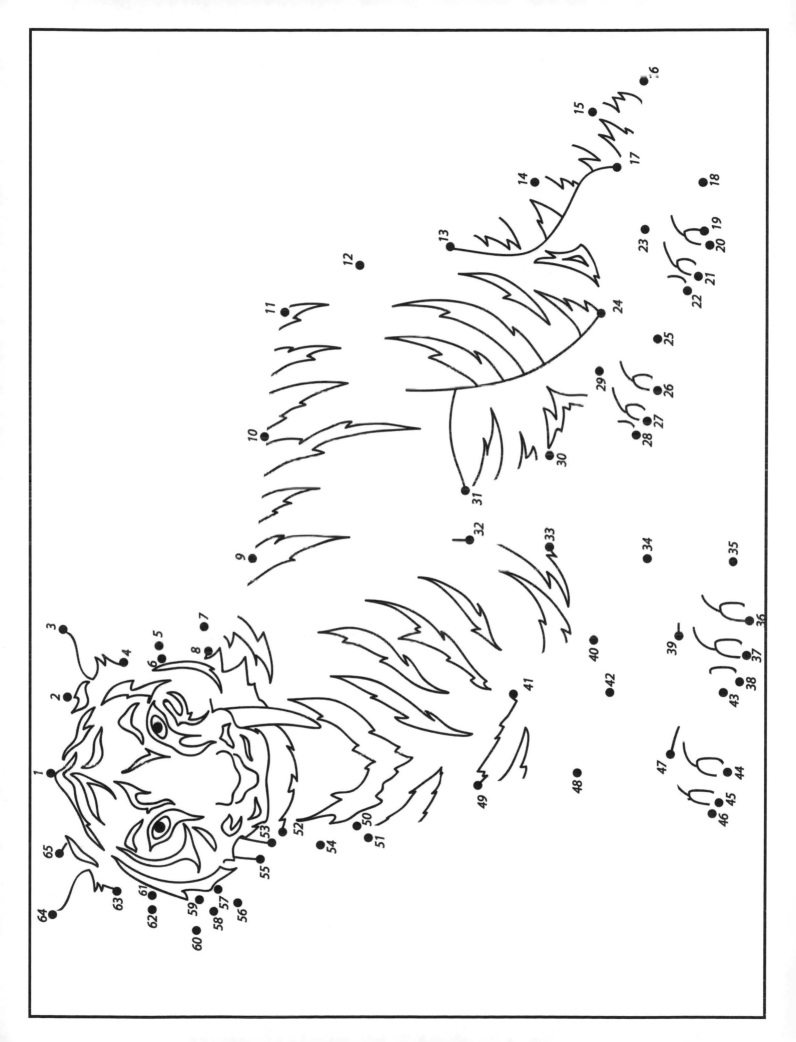

Find 10 Differences

Your Turn to Draw

Color Chart

1 = red
2 = orange
3 = yellow
4 = green
5 = blue
6 = dark blue
7 = purple
8 = light gray
9 = light blue

Solve the Picture Puzzles

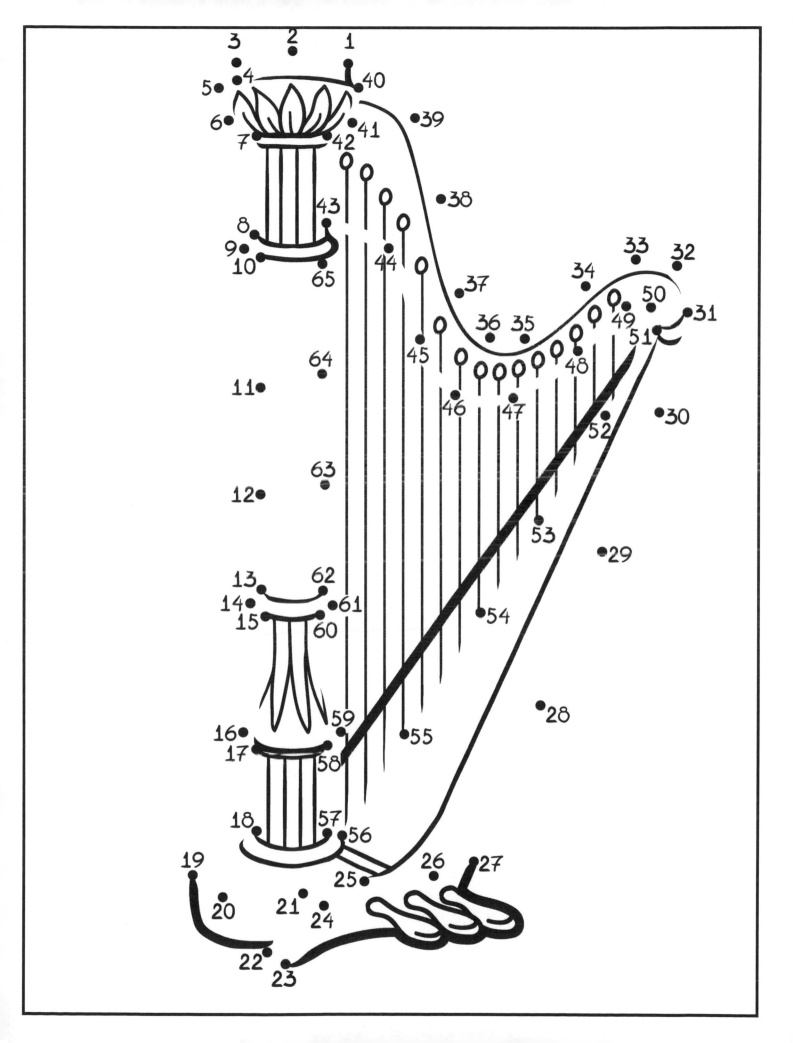

Find the Words

```
X H N H J L E A P B H H
C U T L G N H A O Y O I
R Y Q Z Y A N O R L R M
M I A O A R G W R X N A
K F J T O Q M A Q S D G
K P J C S T E N L F E I
A P I K P T D S R L J C
X N P P N Y R G M Y O R
U M F O R E S T A D Q P
J L K W K U W U N S B S
C M K U C P T R E M H W
D J J E V J Z X S Z A U
```

FOREST   MAGIC

GALLOP   MANE

HORN   MYTH

HORSE   RUN

LEAP   UNICORN

FOREST   MAGIC
GALLOP   MANE
HORN   MYTH
HORSE   RUN
LEAP   UNICORN

Color Chart

1 = brown
2 = dark gray/black
3 = tan
4 = dark red
5 = light blue
6 = yellow
7 = light gray
8 = green

Draw the Picture Using the Grid

	A	B	C	D	E	F	H
1							
2							
3							
4							
5							
6							
7							
8							

Find 10 Differences

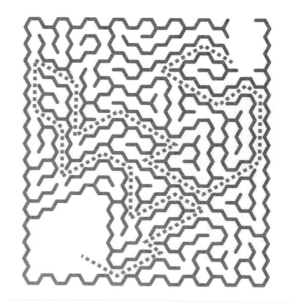

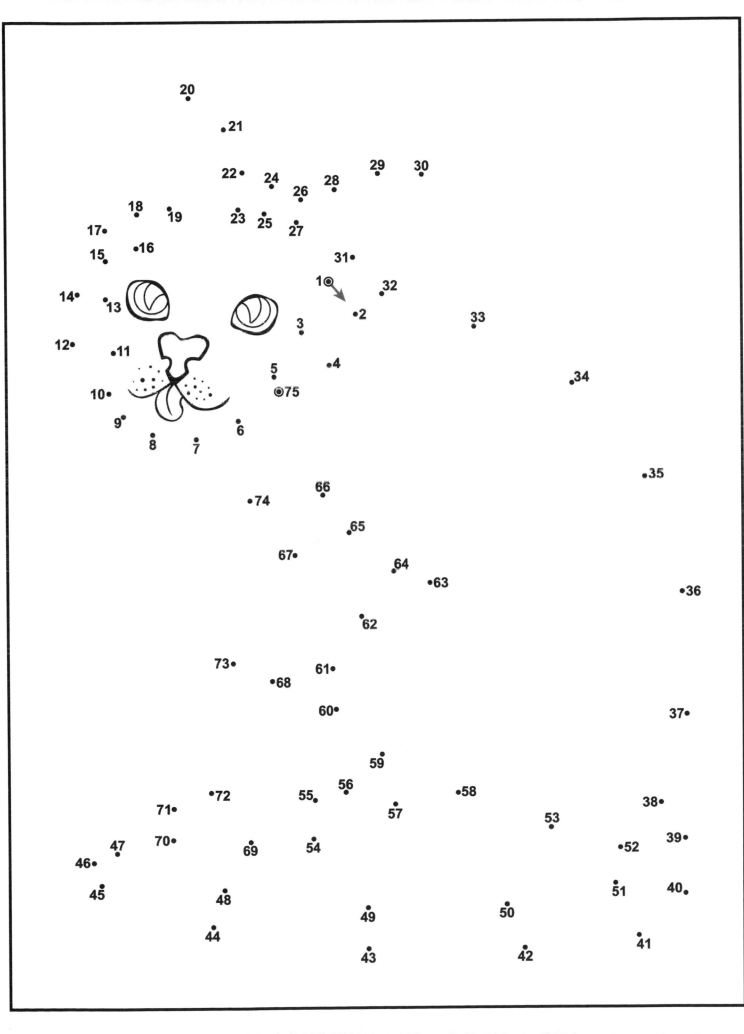

Find the Words

```
Y R O L L S I O N R L B
C M F D N P I E I X Q T
A U S L X B F V L G I Y
K J M U F F I N S U M B
E M E C B S U W C E C R
P O A S O A N S C Y F O
A H J F U O I B R J C W
S I B I I B K E H I F N
T T N R G M K I P U E I
R E F H E A O D E U A E
Y T J O B A F S N S A S
V T V L B M D Y F O G V
```

BAKERY   COOKIES
BISCUIT   MUFFINS
BREAD   PASTRY
BROWNIES   PIE
CAKE   ROLLS

Y	R O L L S	I	O	N	R	L	B
C	M	F	D	N	P I E	I	X	Q	T
A	U	S	L	X	B	F	V	L	G	I	Y
K	J	M U F F I N S	U	M	B
E	M	E	C	B	S	U	W	C	E	C	R
P	O	A	S	O	A	N	S	C	Y	F	O
A	H	J	F	U	O	I	B	R	J	C	W
S	I	B	I	I	B	K	E	H	I	F	N
T	T	N	R	G	M	K	I	P	U	E	I
R	E	F	H	E	A	O	D	E	U	A	E
Y	T	J	O	B	A	F	S	N	S	A	S
V	T	V	L	B	M	D	Y	F	O	G	V

BAKERY   COOKIES

BISCUIT   MUFFINS

BREAD   PASTRY

BROWNIES   PIE

CAKE   ROLLS

Solve the Picture Puzzles

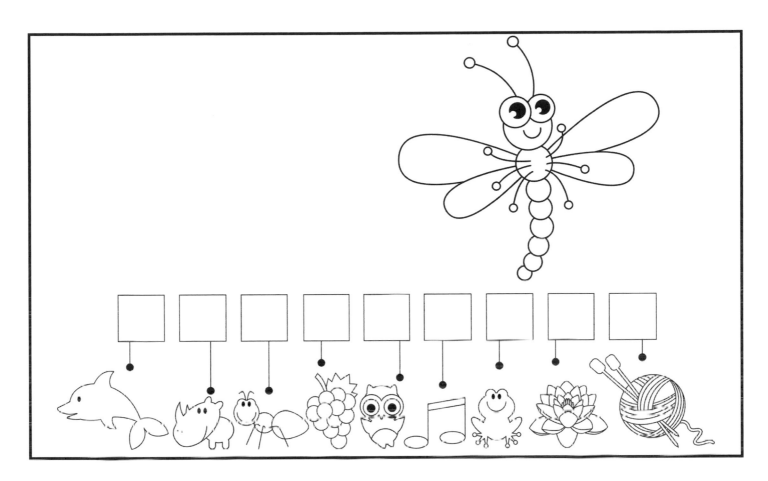

Answers: dragonfly; grasshopper

Your Turn to Draw

Color Chart

1 = blue
2 = light blue
3 = brown
4 = dark green
5 = light green
6 = yellow
7 = pink
8 = orange

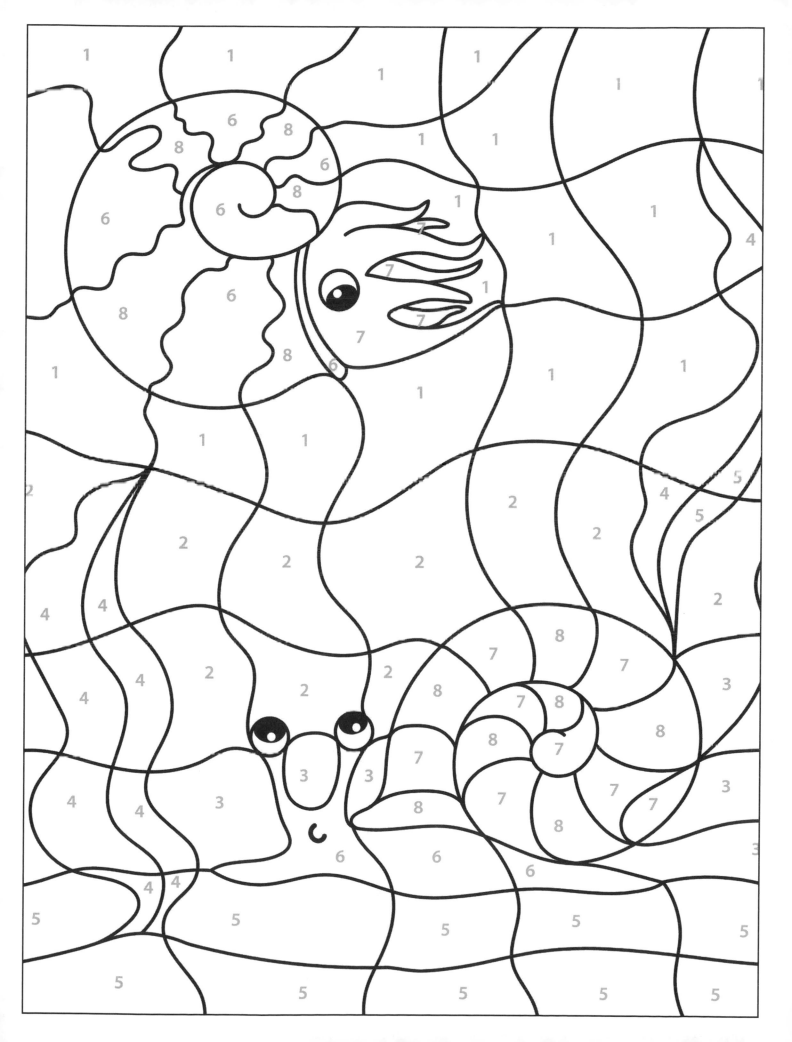

Find the Words

```
V G L A R G E G F C K N
K R N X O B P U Q O I V
J C D R G Z N I T L K G
Z U K G M L O Y X O N R
J B M S A A D R E S X A
V X E B A E S S T S O N
P S X F O M N S T A E D
X S A B L E P N I L T T
S Q O J M H A L O V B T
E N S M N I Y G E O E W
D P I Y G Z C E S B I G
U T E N O R M O U S I R
```

AMPLE   GRAND

BIG   IMMENSE

COLOSSAL   JUMBO

ENORMOUS   LARGE

GIANT   MASSIVE

V	G	L	A	R	G	E	G	F	C	K	N
K	R	N	X	O	B	P	U	Q	O	I	V
J	C	D	R	G	Z	N	I	T	L	K	G
Z	U	K	G	M	L	O	Y	X	O	N	R
J	B	M	S	A	A	D	R	E	S	X	A
V	X	E	B	A	E	S	S	T	S	O	N
P	S	X	F	O	M	N	S	T	A	E	D
X	S	A	B	L	E	P	N	I	L	T	T
S	Q	O	J	M	H	A	L	O	V	B	T
E	N	S	M	N	I	Y	G	E	O	E	W
D	P	I	Y	G	Z	C	E	S	B	I	G
U	T	E	N	O	R	M	O	U	S	I	R

AMPLE	GRAND
BIG	IMMENSE
COLOSSAL	JUMBO
ENORMOUS	LARGE
GIANT	MASSIVE

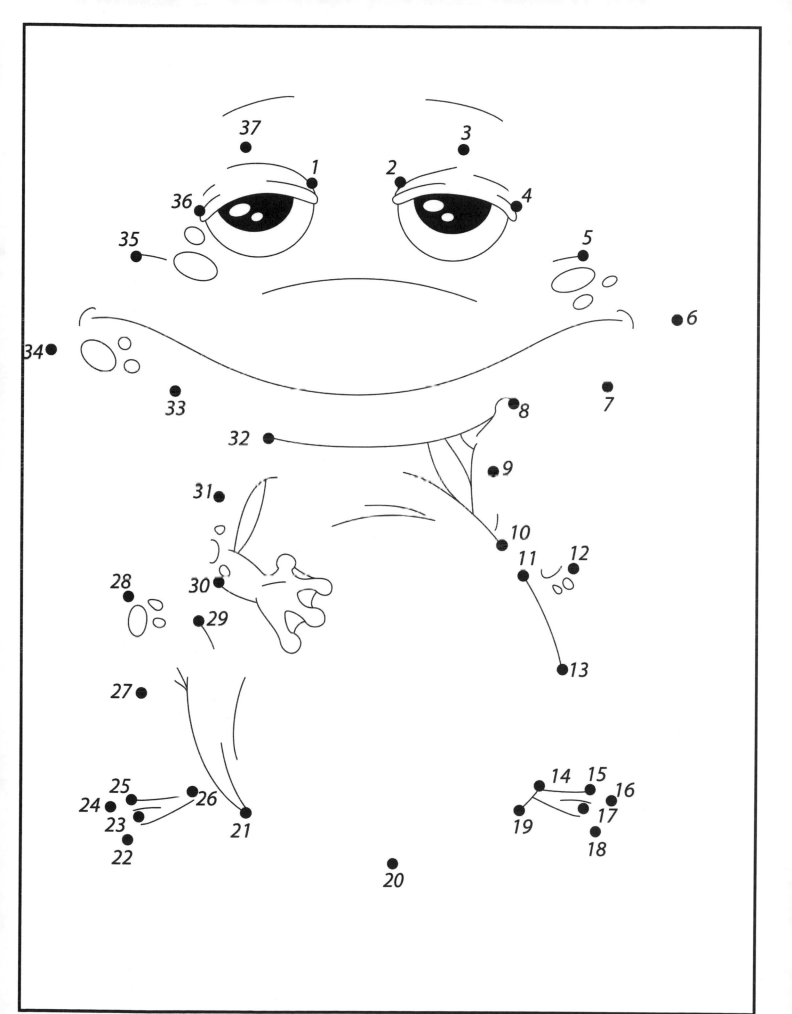

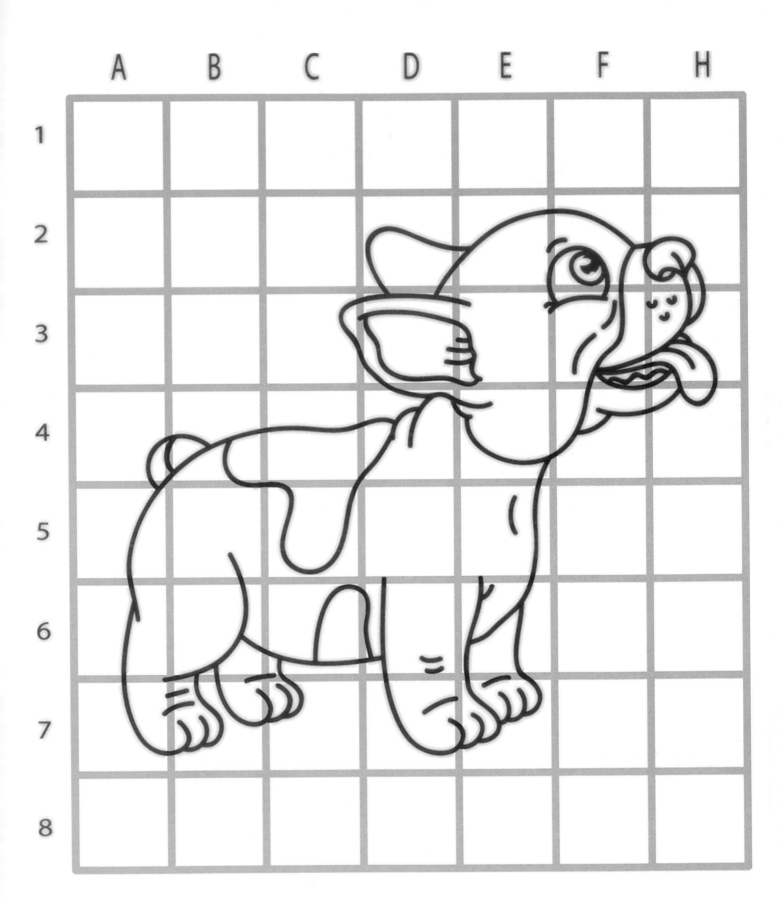

Draw the Picture Using the Grid

	A	B	C	D	E	F	H
1							
2							
3							
4							
5							
6							
7							
8							

Find 10 Differences Between the Two Pictures

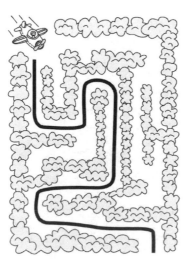

1 - light blue 2 - dark green 3 - green 4 - yellow
5 - orange 6 - beige 7 - brown 8 - red

Find the Words

S	G	F	O	K	G	X	Y	A	I	T	O
F	Y	L	G	G	A	L	L	O	P	R	A
B	F	J	A	B	F	Y	X	J	B	J	B
V	U	T	Y	X	A	E	N	A	K	P	R
O	U	C	B	H	L	H	R	V	K	R	I
G	Q	V	K	D	U	A	P	K	X	N	D
R	I	R	D	E	Y	L	Y	B	L	P	L
O	K	A	E	N	T	T	P	N	A	I	E
S	S	O	O	I	X	E	Z	X	V	R	W
E	D	P	L	F	N	R	X	P	V	X	N
D	A	F	E	M	S	S	X	A	D	F	X
W	R	S	B	R	U	S	H	Z	M	J	T

BARN   HALTER

BRIDLE   HAY

BRUSH   PONY

BUCKET   REINS

S G F O K G X Y A I T O
F Y L G G A L L O P R A
B F J A B F Y X J B J B
V U T Y X A E N A K P R
O U C B H L H R V K R I
G Q V K D U A P K X N D
R I R D E Y L Y B L P L
O K A E N T T P N A I E
S S O O I X E Z X V R W
E D P L F N R X P V X N
D A F E M S S X A D F X
W R S B R U S H Z M J T

BARN   HALTER
BRIDLE   HAY
BRUSH   PONY
BUCKET   REINS
GALLOP   SADDLE

Solve the Picture Puzzles

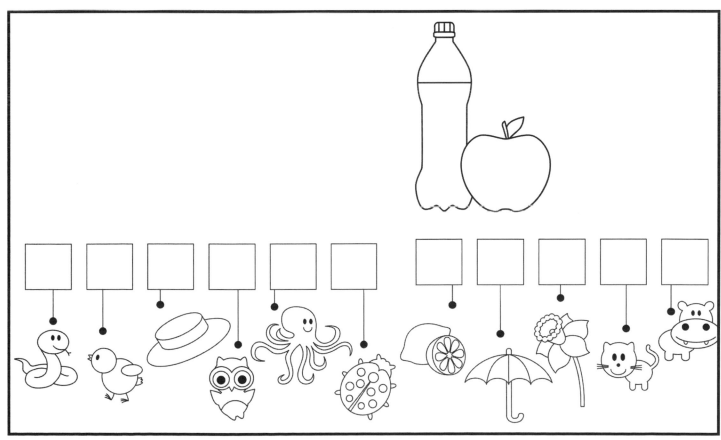

Answers: ice cream; school lunch

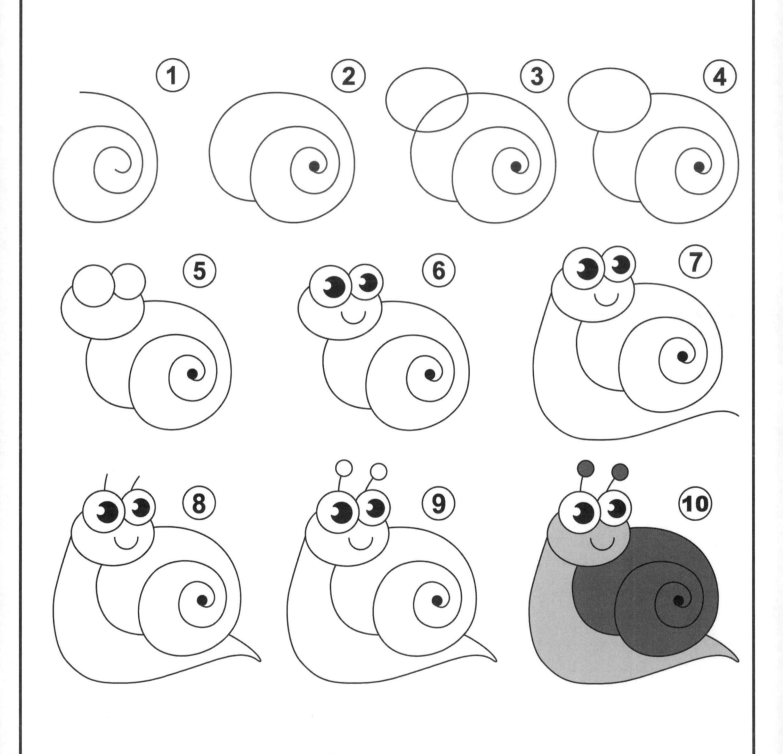

Your Turn to Draw

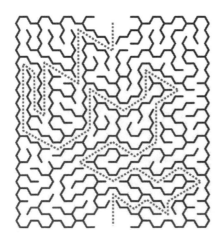

Color Chart

1 = black
2 = light blue
3 = red
4 = dark green
5 = light green
6 = brown
7 = yellow
8 = gray

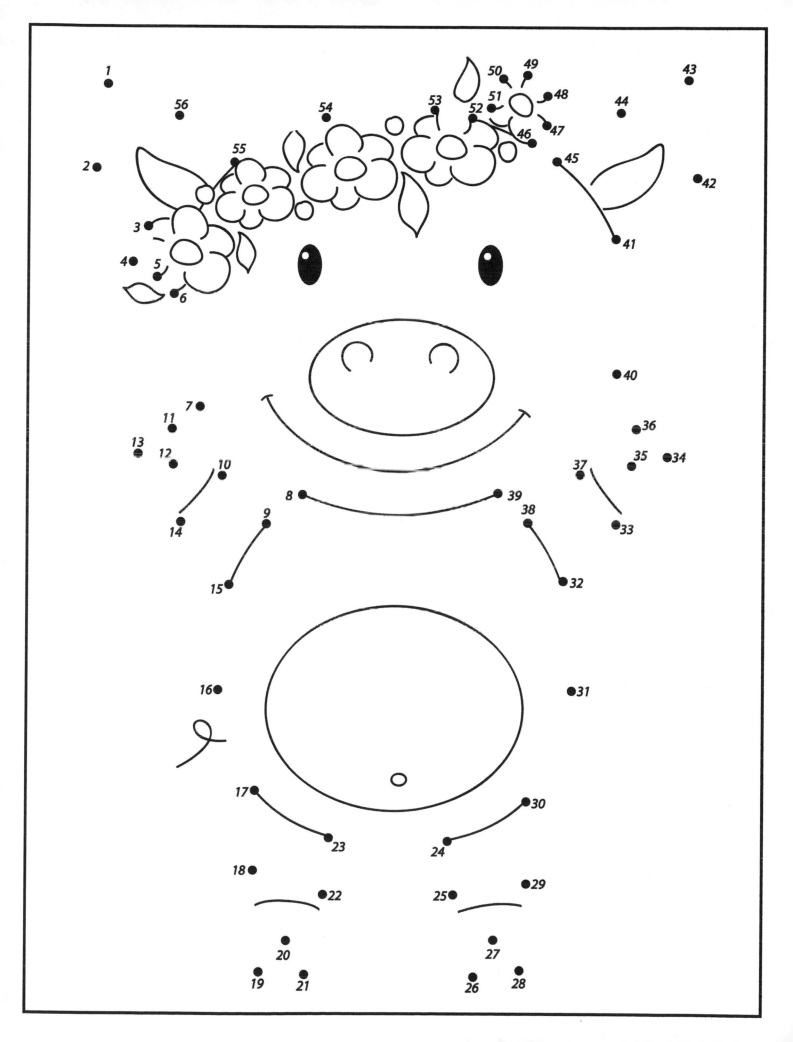

Find the Words

```
A C F L O U C S H A R P
I J E Y O N Y A R S G F
C X C L B U M V Q I D L
K E I U L Y B G V S G U
N B V Q B O A W E N E T
P S W T X O L P Q F Z E
P I R W J B I U Z Z X M
Q B A N Q P I P G U U D
A U A N G N O M H R R Q
Q B N A O R S Y D I L A
W Q B W Z V I O L I N R
O C G G O B O E Z N Y K
```

BAGPIPES	FLUTE
BANJO	HARP
CELLO	OBOE
CYMBAL	PIANO

A C F L O U C S H A R P
I J E Y O N Y A R S G F
C X C L B U M V Q I D L
K E I U L Y B G V S G U
N B V Q B O A W E N E T
P S W T X O L P Q F Z E
P I R W J B I U Z Z X M
Q B A N Q P I P G U U D
A U A N G N O M H R R Q
Q B N A O R S Y D I L A
W Q B W Z V I O L I N R
O C G G O B O E Z N Y K

BAGPIPES   FLUTE
BANJO   HARP
CELLO   OBOE
CYMBAL   PIANO
DRUM   VIOLIN

Draw the Picture Using the Grid

	A	B	C	D	E	F	H
1							
2							
3							
4							
5							
6							
7							
8							

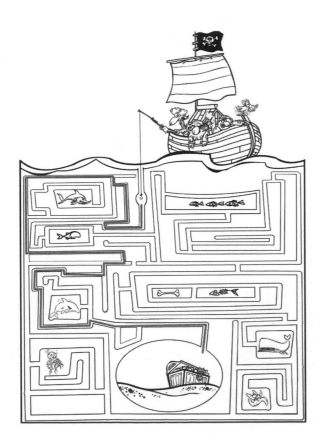

Color Chart

1 = pink
2 = red
3 = light purple
4 = purple
5 = light blue
6 = blue
7 = yellow
8 = dark blue

Find the Words

```
P E X V T B E G I U V O
I T F U W O C R U S T A
Z M H D X E M E I I I G
Z Q J B C T K A I I N V
A J P U Q O E N T I C D
F S A D W P X D T O S A
I S L L N P Z A O E R Y
C I E E I I E X E U C P
B I V J S N G Y L H G P
T O A A Z G L C J A O H
V O O K D S M K O C K Z
P I E G V C H E E S E L
```

CHEESE   PIE

CRUST   PIZZA

DOUGH   SAUCE

EATING   TOMATO

OVEN   TOPPINGS

P	E	X	V	T	B	E	G	I	U	V	O
I	T	F	U	W	O	C	R	U	S	T	A
Z	M	H	D	X	E	M	E	I	I	I	G
Z	Q	J	B	C	T	K	A	I	I	N	V
A	J	P	U	Q	O	E	N	T	I	C	D
F	S	A	D	W	P	X	D	T	O	S	A
I	S	L	L	N	P	Z	A	O	E	R	Y
C	I	E	E	I	I	E	X	E	U	C	P
B	I	V	J	S	N	G	Y	L	H	G	P
T	O	A	A	Z	G	L	C	J	A	O	H
V	O	O	K	D	S	M	K	O	C	K	Z
P	I	E	G	V	C	H	E	E	S	E	L

CHEESE   PIE
CRUST   PIZZA
DOUGH   SAUCE
EATING   TOMATO
OVEN   TOPPINGS

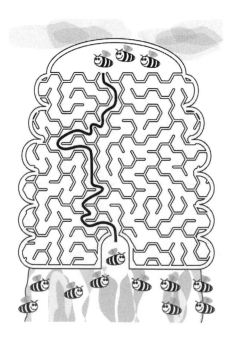

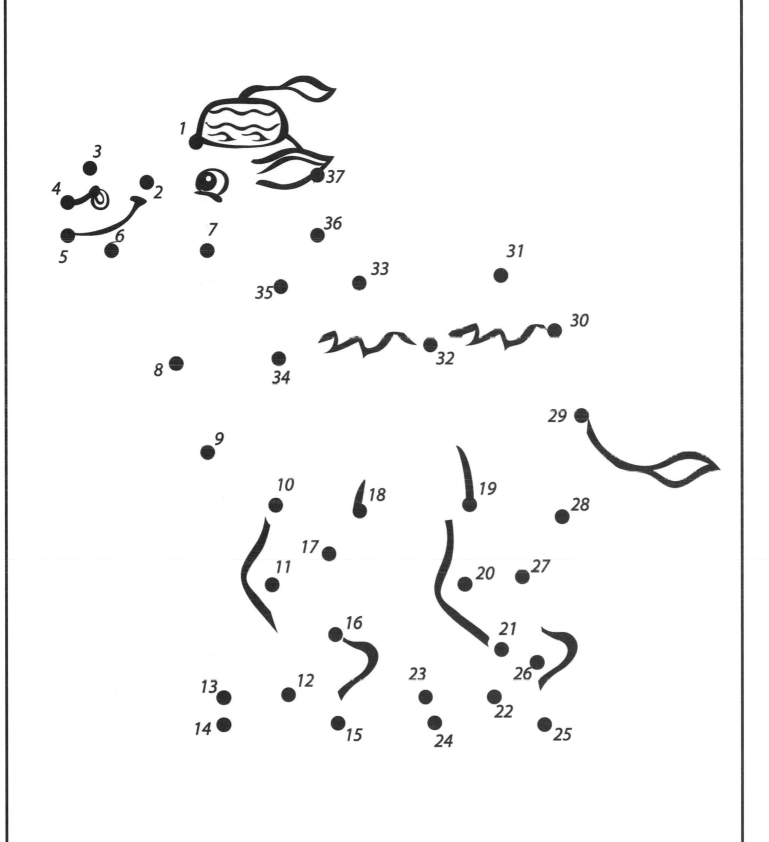

Find 10 Differences Between the Two Pictures

Draw the Picture Using the Grid

	A	B	C	D	E	F	H
1							
2							
3							
4							
5							
6							
7							
8							

Find the Words

```
P  E  N  C  I  L  F  S  T  H  L  O
J  P  T  Y  I  V  F  V  E  D  U  W
B  R  A  H  J  N  V  F  A  B  R  U
Y  K  E  P  K  P  E  D  C  O  L  S
F  N  Z  C  E  C  D  V  H  O  E  F
A  S  T  B  E  R  U  S  E  K  A  A
U  R  O  V  H  S  D  Q  R  S  R  G
A  Q  L  C  I  N  S  Z  G  I  N  T
S  G  N  D  E  V  S  C  H  O  O  L
U  U  Y  I  D  A  Q  Z  B  O  W  W
L  Z  R  H  V  R  H  P  L  B  W  O
H  F  U  F  J  M  A  Q  L  X  M  Q
```

ART	PAPER
BOOKS	PENCIL
FRIENDS	RECESS
LEARN	SCHOOL

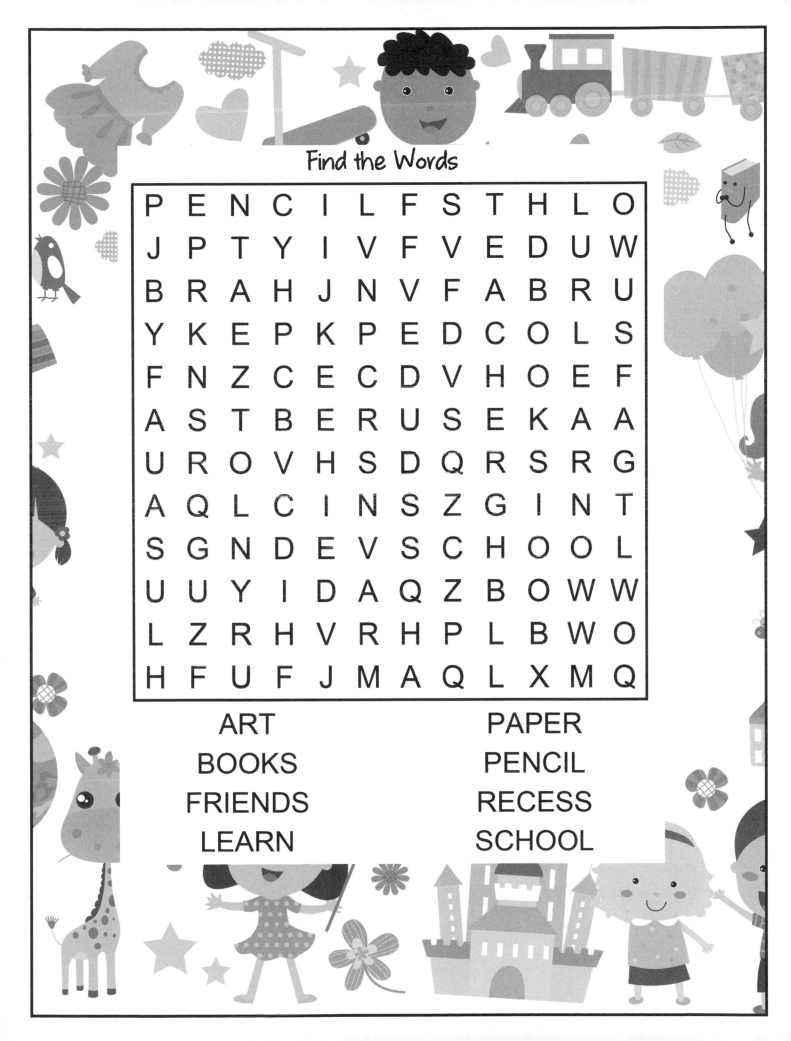

P	E	N	C	I	L	F	S	T	H	L	O
J	P	T	Y	I	V	F	V	E	D	U	W
B	R	A	H	J	N	V	F	A	B	R	U
Y	K	E	P	K	P	E	D	C	O	S	F
F	N	Z	C	E	C	D	V	H	O	L	F
A	S	T	B	E	R	U	S	E	K	E	A
U	R	O	V	H	S	D	Q	R	S	A	G
A	Q	L	C	I	N	S	Z	G	I	R	T
S	G	N	E	V	S	C	H	O	O	L	
U	U	Y	I	D	A	Q	Z	B	O	W	W
L	Z	R	H	V	R	H	P	L	B	W	O
H	F	U	F	J	M	A	Q	L	X	M	Q

ART	PAPER
BOOKS	PENCIL
FRIENDS	RECESS
LEARN	SCHOOL
LUNCH	TEACHER

Find 10 Differences Between the Two Pictures

COUNT AND COLOR

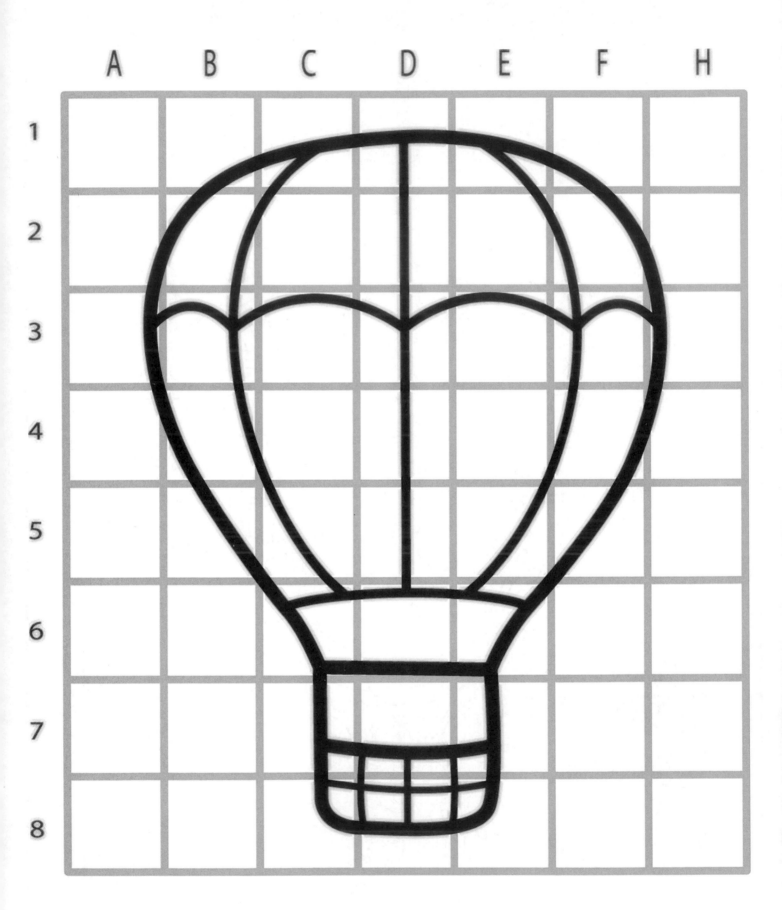

Draw the Picture Using the Grid

	A	B	C	D	E	F	H
1							
2							
3							
4							
5							
6							
7							
8							

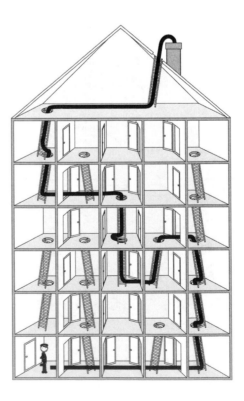

Your Turn to Draw

Find 10 Differences Between the Two Pictures

Find the Words

```
X V W D Z Y W X D O F M
C R A E A X C U Y W R C
M F I D D L Y A W I I J
O N N F X N D G P V D L
Z O I S T S E S I Y A W
M Y V P R U Y S N U Y E
W K T U Y A E N D F J E
E T H N D P Q S L A O K
E T K G C A B M D S Y E
K G T D W B S F L A N N
M S A T U R D A Y Y Y D
U A X B S U N D A Y O Q
```

DAYS	THURSDAY
FRIDAY	TUESDAY
MONDAY	WEDNESDAY
SATURDAY	WEEK
SUNDAY	WEEKEND

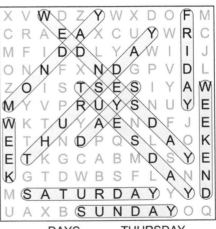

DAYS THURSDAY
FRIDAY TUESDAY
MONDAY WEDNESDAY
SATURDAY WEEK
SUNDAY WEEKEND

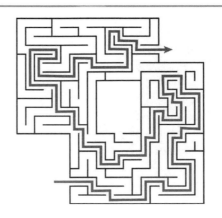

Find 10 Differences Between the Two Pictures

Find the Words

```
H I W H B I A M P Q V G
R T L G I R A F F E T C
Z T R I L J F K X N T H
A E J H O E C P A O M Q
W P B O I N S H P G O H
S A Z R U W P P T A N U
I N T E A E I B D S K K
S D H A L H I I E G E Y
T A Y E U E X N C A Y P
T I G E R Q C O V X R H
W S N Z Y X O V L L Y A
Q S U Y I Z B W C B C W
```

BEAR   MONKEY
ELEPHANT   PANDA
GIRAFFE   TIGER
HIPPO   ZEBRA

H	I	W	H	B	I	A	M	P	Q	V	G
R	T	L	G	I	R	A	F	F	E	T	C
Z	T	R	I	L	J	F	K	X	N	T	H
A	E	J	H	O	E	C	P	A	O	M	Q
W	P	B	O	I	N	S	H	P	G	O	H
S	A	Z	R	U	W	P	P	T	A	N	U
I	N	T	E	A	E	I	B	D	S	K	K
S	D	H	A	L	H	I	I	E	G	E	Y
T	A	Y	E	U	E	X	N	C	A	Y	P
T	I	G	E	R	Q	C	O	V	X	R	H
W	S	N	Z	Y	X	O	V	L	L	Y	A
Q	S	U	Y	I	Z	B	W	C	B	C	W

BEAR   MONKEY

ELEPHANT   PANDA

GIRAFFE   TIGER

HIPPO   ZEBRA

LION   ZOO

Look for More of Our Popular Activity Books!

CAT
ACTIVITY BOOK
FOR KIDS
MAZES, COLORING, DOT TO DOT, WORD SEARCH, AND MORE!

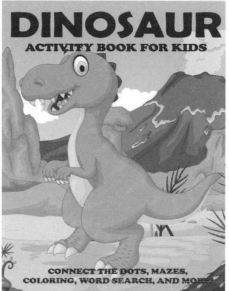

DINOSAUR
ACTIVITY BOOK FOR KIDS
CONNECT THE DOTS, MAZES, COLORING, WORD SEARCH, AND MORE!

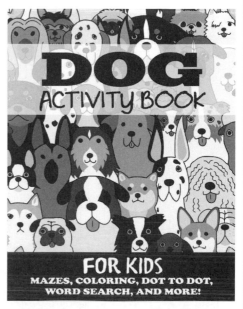

DOG
ACTIVITY BOOK
FOR KIDS
MAZES, COLORING, DOT TO DOT, WORD SEARCH, AND MORE!

HOW TO DRAW ANIMALS
DYLANNA PRESS

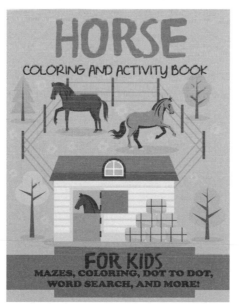

HORSE
COLORING AND ACTIVITY BOOK
FOR KIDS
MAZES, COLORING, DOT TO DOT, WORD SEARCH, AND MORE!

FUNTASTIC AND CHALLENGING
MAZES
FOR KIDS
AN AMAZING MAZE ACTIVITY BOOK FOR KIDS

SPACE
COLORING AND ACTIVITY BOOK
FOR KIDS
MAZES, COLORING, DOT TO DOT, WORD SEARCH, AND MORE!

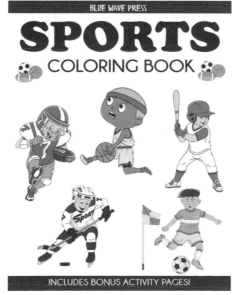

BLUE WAVE PRESS
SPORTS
COLORING BOOK
INCLUDES BONUS ACTIVITY PAGES!

UNICORN
COLORING AND ACTIVITY BOOK FOR KIDS
FOR KIDS
MAZES, COLORING, DOT TO DOT, WORD SEARCH, AND MORE!